悠悠长假

❹ 自由之风

〔法〕米歇尔·莱迪耶
(Michel Leydier) ◎ 著

〔法〕埃米尔·布拉沃
(Emile Bravo) ◎ 绘

水冰 ◎ 译

北京科学技术出版社
100 层童书馆

故事中的主人公

克洛蒂

漂亮又顽皮，
口齿伶俐。

欧内斯特

温柔又活泼，
比自己想象得更加
勇敢机智。

小泥巴

外公为克洛蒂买的宠物小猪，
在之前的战火流离中已经失踪了。

妈妈露西

勇敢又坚强，
正在与病魔抗争。

爸爸罗伯特

善良又热情，
总能化险为夷。

外公帕皮卢

有点儿粗鲁，
心直口快，
但对孙辈们特别关爱。

外婆玛米丽

很有原则，
对孩子们很温柔，
总是替他们说话。

加斯顿·莫尔托
马赛隆·莫尔托

虽然有点儿调皮，
但都不是坏孩子。

费尔南德·格贝尔

阿尔萨斯人，
为躲避德国军队的迫害，
刚刚来到诺曼底。

铃兰

勇敢、野性十足，
成熟得让人吃惊。

吉恩

镇长的儿子，
欧内斯特在格朗维尔的
第一个朋友，很有教养，
又很幽默。

自开战以来，欧内斯特和克洛蒂一直住在外公外婆家。爸爸去前线打仗了，而妈妈在瑞士的疗养院治疗肺结核。但幸运的是，兄妹俩遇到了吉恩、铃兰、费尔南德……几个孩子一起组成了"鲁滨逊小队"。

思念萝西

　　战争已经持续了四年。在这四年里，孩子们饱尝物资匮乏之苦，每天都在担惊受怕中度过，心中的希望也一次次落空。鲁滨逊小队的成员们在战火中悄悄长大——欧内斯特、吉恩、铃兰和马赛隆如今十四岁了，已是大人模样，克洛蒂和加斯顿也已经十岁了……

　　随着战事吃紧，这群孩子越来越勇敢，一直在帮助那些"绝不向敌人低头"的大人。他们执行的秘密任务，也变得比从前更加危险。

　　克洛蒂和欧内斯特的爸爸罗伯特从德国战俘营

逃出来后，就加入了格朗维尔一带的抵抗组织。他经常偷偷乘船往返英法两国传送情报，决心战斗到最后一刻——自由来临的那一天！

1943年11月11日的前几天，赫平老师在课堂上问大家："听到11月11日这个日子，你们能想起什么呢？"

保罗第一个举起手：

"呃……不就是11月10日的后一天吗？"

全班哄堂大笑。

这时，加斯顿站起来，认真地说：

"我知道！这是纪念'1914年战争'的日子！那时候我们和戴着尖顶头盔的德国士兵打仗，还有战壕、芥子气什么的……"

"说得对！"赫平老师点点头，"11月11日是我们庆祝法国战胜德国的日子。那场胜利结束了从1914年到1918年的第一次世界大战。我们通常也会在这一天缅怀那些为正义事业捐躯的英勇将士。"

加斯顿又补充道：

"我爸爸也参加过那场战争，可仗打完了，他却死了……[1]"

赫平老师的眼神变得温柔而悲伤。

"是啊，我们每个家庭都有人参加了那场战争，还有人甚至献出了生命。但是现在，德国人禁止我们庆祝11月11日了。"

"这太不公平了！"克洛蒂忍不住说道。

赫平老师点点头。"是的，这不公平。但是……"他指了指自己的胸口，"没有人能阻止我们在心里纪念他们。"

下课铃声响了。赫平老师刚宣布下课，鲁滨逊小队的孩子们就迫不及待地投身到他们的"秘密行动"中了。一年多来，他们一直在暗中协助当地的抵抗组织。马赛隆和加斯顿的大哥皮埃尔就是组织的重要成员。

---

1 加斯顿的父亲虽然没有直接死在战场上，却因芥子气中毒的后遗症在战争结束几年后死去。

孩子们承担的任务主要是将文件在不同地点或不同的抵抗组织之间进行秘密传送。步行或骑自行车都可以，但整个过程必须十分小心。

此外，还有侦察任务。当德国军车轰隆隆地开过村子时，他们要像真正的侦察兵一样，偷偷记下车队有多少辆卡车，以及都带着什么武器。

这些行动十分危险。虽然鲁滨逊小队的成员们都是孩子，但要是被那些德国士兵发现了，后果简直不堪设想。

一天放学后，克洛蒂执行完任务回来，发现保罗独自坐在阵亡将士纪念碑下。他的小脸皱成一团，

看起来难过极了。

"保罗，你在这儿做什么？"她蹲下身，轻轻戳了戳保罗的肩膀，"发生什么事了？"

保罗抬起头，眼圈红红的。他抿了抿嘴，终于忍不住带着哭腔向她吐露了心声。

"其实，我在想萝西……"保罗抽泣着说，"她已经失踪这么久了……我真的好想她……她会不会死了？"

克洛蒂被保罗的话触动了，拍了拍保罗的背说："萝西没有死！来吧，我带你看个秘密！"她站起身，向保罗伸出手。这是她第一次打破鲁滨逊小队的规矩，带着外人走进了他们在森林里的秘密基地……

没过多久，吉恩和欧内斯特回来了。他们一看到保罗，顿时火冒三丈。

"他怎么会在这儿？！"吉恩指着保罗吼道。

"是你带他来的？"欧内斯特皱着眉头问妹妹。

"对啊，"克洛蒂说，"我告诉他萝西和道格拉斯中尉一起去英国了，还带他看了这个……"

克洛蒂指了指面前的旧木板，上面摆放着几根蜡烛、萝西的黄色星星、小泥巴的画像，还有费尔南德的素描……

"好了，现在你该离开这里了！"吉恩对保罗下了逐客令。

"要是敢把今天看到的说出去……"欧内斯特竖起食指警告道，"有你好看的！"

"谢谢你，克洛蒂……"保罗讪讪地说完，耷拉着脑袋离开了秘密基地。

他的身影刚消失在灌木丛后，欧内斯特就气呼呼地转向妹妹："你疯了吗？怎么能带外人来我们的秘密基地！你想让我们暴露吗？"

一直在观察哨看着这一切的铃兰跑下来劝架："好了，别紧张！保罗不会说出去的！"

这时，加斯顿和马赛隆也赶来了。

"哎！刚才从这儿跑出去的是保罗吗？"马赛隆问。

"他现在也是鲁滨逊小队的人了？"加斯顿好奇地问。

"不！他才不是！"欧内斯特咬牙切齿地说完，又狠狠瞪了一眼克洛蒂——她正噘着嘴站在角落里。

欧内斯特稍微压低声音说道："咱们都得小心点儿！别忘了杜兰德一直在盯着我们呢。"

接着，欧内斯特说出了他和吉恩在路上想到的好主意："我们要用鲁滨逊小队特有的方式，来纪念第一次世界大战停战日。"

2

断　腿

这天傍晚，皮埃尔像往常一样去秘密基地与孩子们会合。因为拒绝去德国做苦役，德军一直在追捕他，所以他总爱背着猎枪出门。

"嘿，鲁滨逊小队！我要的东西你们都拿到了吗？"

"全部搞定！"欧内斯特和吉恩挺直腰板齐声回答。

皮埃尔放下猎枪，从背包里掏出一沓传单。

传单最上方印着两面法国国旗，中间用粗体字写着"反抗到底！"，下面画着洛林十字，还摘抄了

《马赛曲》的歌词。

"这次要把传单悄悄塞进村里每户人家的信箱，还有周边的所有农场。记住，要像小老鼠偷奶酪那

样悄无声息！明白了吗？"皮埃尔压低声音说。

克洛蒂、铃兰、欧内斯特和吉恩齐刷刷地点头。

铃兰递给皮埃尔一个鼓鼓的信封，克洛蒂交给他一份文件，吉恩则神秘兮兮地掏出从德军指挥所"借"来的印章——天知道他是怎么把这个弄到

手的!

　　"干得漂亮,孩子们!鉴于你们的出色表现,'雀鹰'决定交给你们一项更重要的任务。"皮埃尔说着,从口袋里掏出一张大幅的海岸地图,在桌上哗啦一声展开,"都仔细听好了!"孩子们立刻围成一圈,眼睛瞪得圆溜溜的。

　　皮埃尔指着地图上弯弯曲曲的海岸线说:"这次你们要把格朗维尔海边所有德军据点的布防情况都记下来:士兵人数、武器装备……必须分毫不差!"他竖起食指强调,"但千万记住,不要被发现,不要靠近地雷区!懂了吗?"

　　"遵命,头儿!"四个孩子把手叠在一起,像真正的特工小队那样压低嗓音回答。

　　皮埃尔背起猎枪准备离开时,突然转身对正在"站岗"的两个弟弟眨眨眼:"告诉妈妈,今晚我会回去给伙伴们拿食物。你们两个也要小心!"

　　村子的咖啡馆里,欧内斯特和克洛蒂的外公帕皮卢、邮递员巴蒂斯特,还有牧师正凑在一起喝酒。

巴蒂斯特愁眉苦脸的，因为他也收到了强制服劳役的征召令。老板娘蒂西耶夫人已经第三次给他斟满了酒，可连最甜的苹果酒也冲不淡他的忧愁。

"我不想去德国佬的工厂干活！"巴蒂斯特垂头丧气地说。

外公拍拍他的肩膀，说："你不想去的话，就只有一种选择了，那就是加入抵抗组织。"

巴蒂斯特瞬间脸色发白。

"可是我不会用武器，而且我胆子太小……"

他越说声音越小，一口气喝光了杯里的酒以掩饰羞愧。

"小伙子，你总得做个选择，"外公认真地说，"最好是个明智的选择！"

巴蒂斯特猛地站了起来，眼神发直。

"我知道该怎么办了！"他一本正经地宣布，"我要开溜！让他们永远也找不到我！"

他带着几分醉意，摇摇晃晃地走到门口，跨上停在路边的自行车，歪歪扭扭地骑远了。

"巴蒂斯特开溜啦！"他大喊道，"再见啦！[1] 他

---

1 原文为德语。

们休想抓到我！"

朋友们想拦住他，可他根本不听。

"天哪，巴蒂斯特，别做傻事，快回来！"外公意识到不对劲，着急地喊道。

骑到街角时，巴蒂斯特为了避开过马路的杜兰德，突然失去平衡，砰的一声，重重地摔在了人行道上。"我的腿！"他疼得大叫，"哎哟！"

安顿好巴蒂斯特后，外公回到家，看到克洛蒂正在桌角画画，加斯顿在折纸飞机。正在做饭的外婆听到巴蒂斯特出事的消息，连忙放下锅铲问道："他现在怎么样了？"

"腿摔断了。"外公叹了口气，"好消息是他不用去德国服劳役了，坏消息是杜兰德要接替他送信了。这家伙对镇长软磨硬泡，非说自己熟悉这一带……"

孩子们一听就炸开了锅。让杜兰德当邮递员？那可太糟糕了！

"那个糊涂蛋？"外婆惊讶地说，"他连去树林都会迷路！"

"那是你的想法！"外公压低声音，"最近我看见他总拿着个小本在村里到处记录，好像是在找什么东西。"

3

牛粪浴

第二天，莫尔托兄弟俩和克洛蒂从蒂西耶家出来——他们刚在那儿卖掉一些农产品，路上正好碰见杜兰德骑着自行车经过。

"喂，你们三个！"杜兰德喊住他们，"我现在是新的邮递员了！要是遇见你们大哥皮埃尔……"

他话说到一半又转向克洛蒂。

"还有你爸爸，要告诉我，我有信要送给他们！"

说完，他阴笑着拍了拍邮包。

这时，马赛隆突然捏住鼻子，说：

"你们有没有闻到一股很臭的味道？"

克洛蒂和加斯顿扑哧笑出了声。

"你们尽管笑吧！"杜兰德气得大叫，"等着瞧吧，我迟早会揪出那些犹太人和抵抗分子！我知道这附近有抵抗组织，我一定会把他们通通找出来！"

杜兰德使劲蹬着自行车踏板，嘴里骂骂咧咧地骑远了。

"这家伙也许真的会影响我们的行动。"克洛蒂嘀咕道。

"别担心，有他好看的！"马赛隆神秘兮兮地说——他显然已经想到了什么好主意。

与此同时，吉恩、欧内斯特和铃兰正在执行皮埃尔昨天交代的危险任务。三个孩子尽管有些害怕，

但还是鼓足勇气，穿过幽暗的树林，向海边进发。

德军沿海岸线外围的森林架设起了一圈铁丝网，欧内斯特带着一把大钳子，准备将铁丝网剪开一个洞。片刻之后，三人趴在了可以俯瞰海岸线的悬崖边上，只露出小脑袋，小心翼翼地观察着下面的情况。

铃兰不知从哪儿弄来了一副望远镜，从他们所在的位置望下去，皮埃尔标注在地图上的那段海岸线尽收眼底。

"最难办的事现在已经解决啦！"三人心里美滋

滋的。现在，他们只需要完成最后的侦察任务：数清悬崖下藏着几个碉堡；记下沙滩上停放着的坦克和面朝大海的火炮数量；记住哨兵的巡逻路线；标出那些拉着铁丝网的雷区位置……

另一边，马赛隆和加斯顿正给杜兰德设陷阱呢！两个人在村里到处溜达，还故意摆出一副"我们在干大事"的神秘表情。

这招还真管用！杜兰德果然跟在他们后面，以为自己马上就要发现抵抗组织的秘密基地了。

就像当初吉恩和欧内斯特设计让马赛隆去禁区打探那样，莫尔托兄弟故意放慢脚步，提高嗓门，好让杜兰德听个真切。

"咱们的秘密碰头点在哪儿？"加斯顿问，还朝马赛隆挤了下眼睛。

躲在树后的杜兰德立刻竖起耳朵，屏住呼吸。

"简单得很！我画给你看。"

马赛隆捡起树枝，在地上画起地图。

"这里是灌木丛……走这条路直到岔路口往左拐……再直走一百米……其他人都在那儿等我们了。懂了吧？咱们快走吧！"

说完，两个男孩撒腿就跑。

杜兰德喜不自胜，钻出树丛，研究起地上的地图。"可算逮到你们这些小坏蛋了！"

但他没想到的是，兄弟俩来到"秘密碰头点"后躲在了一处灌木丛里，等着看好戏。不一会儿，杜兰德果然顺着地图找来了。突然，只听扑通一声，他掉进了兄弟俩事先挖好的大坑里！坑上面覆盖着树枝，里面填满了牛粪！

"哈哈哈！"兄弟俩笑得直打滚儿，而杜兰德在坑里气得直骂人。

"这……这是什么……哕！哪儿来的牛粪？你们给我等着！"

克洛蒂如今的画画技术已经非常棒了，她负责绘制海岸的地图。小伙伴们侦察时记在碎纸片上的内容——碉堡位置、巡逻路线、雷区范围等，她都工工整整地画到了一张大地图上。

与此同时，秘密基地里，大家正为11月11日的秘密纪念活动忙碌着。欧内斯特的计划进展顺利：吉恩冒险从德军指挥所偷来了纳粹旗帜——冯·克里格上校知道后暴跳如雷；铃兰从父亲那里找了一些蓝白布料，再由她的巧手对旗帜进行了一番改造；吉恩还主动承担了准备纪念活动所需的鲜花的任务。

现在杜兰德对鲁滨逊小队的怒火越烧越旺。他衣服上沾满了牛粪，浑身臭烘烘地回到村里，正好碰到了保罗。杜兰德当即粗暴地揪住了他。

"你最好告诉我那群小浑蛋藏在哪里！你肯定知道！"

"我真的不知道，我发誓！"保罗挣扎着喊道。

"我知道是赫平那家伙在背后指使的他们！快说！他们躲在哪里！"

杜兰德揪住保罗的衣领拖拽他，保罗扭动着身子大喊自己什么都不知道。突然，保罗狠狠踢了一

脚杜兰德的小腿，杜兰德大叫着摔倒在地。

"臭小子，我这就去找你爸爸算账！"

"杜兰德，你才臭！"

保罗大笑着跑了。

杜兰德下定决心要报复这群孩子，不惜一切代价……

4

"雀鹰"被捕

第二天上午，冯·克里格上校坐着一辆敞篷车来到学校操场，两辆满载德国士兵的卡车紧随其后。与此同时，赫平老师正在教室里用粉笔写一道几何题。

"德国佬来了！"总爱往操场张望的加斯顿喊道。

几秒钟后，教室门猛地被推开，一个士兵侧身让道，上校和杜兰德走了进来。

上校背着手，礼貌地问候道：

"赫平先生，孩子们。"

"上校，正如您所见，"赫平老师回应道，"我正在给学生们上课！"

"学生？"杜兰德惊讶地喊道，"你是说那些正在策划反抗行动的小浑蛋吧……"

"够了！"上校厉声打断。

他在教室里踱了几步，然后语气严肃地说：

"赫平先生，我们听到很多关于您的学生的传言，所以来做个简单的检查。孩子们，请把书包和课桌抽屉打开！"

赫平老师的额头上渗出了冷汗。不过他并不是

唯一一个变了脸色的人，鲁滨逊小队的孩子们也面如死灰——克洛蒂的书包里正藏着那张标注了德军海岸布防的地图！

"按上校说的做！"赫平老师命令道。

孩子们把书包放在课桌上，缓缓打开。

克洛蒂害怕得浑身发抖。

这时，欧内斯特灵机一动，抓起桌上的一张纸，揉成团砸向杜兰德，并愤怒地大喊道：

"杜兰德，你这个叛徒！"

吉恩、马赛隆、加斯顿、保罗和其他几个孩子纷纷效仿。克洛蒂心领神会，赶紧把那张布防图揉成纸团扔向杜兰德。

教室里顿时乱作一团。孩子们一边骂一边用纸团"轰炸"杜兰德，杜兰德被砸得晕头转向，狼狈不堪。

"立刻停下！"冯·克里格上校怒吼道。

万幸的是，克洛蒂的纸团掉在了加斯顿的椅子旁，他悄悄捡起纸团，塞进了自己的口袋。

一场闹剧过后，上校下令清空教室，只留下赫平老师，并让士兵们仔细地搜查学生们的课桌和书包。学生们则在德国士兵的监视下，焦急不安地在操场上等待。

搜查结束后，赫平老师被两个士兵架着胳膊带了出来。

"你们什么都没找到，没理由带走我！"他抗议道。

"事情还没结束，"冯·克里格上校回答，"您得跟我们回去接受审问！"

说完，他转向手下的士兵：

"把他带走！"[1]

克洛蒂慌了神。她眼眶里噙满泪水，抽泣着朝赫平老师跑去。但一个士兵挡住了她的去路。

其他孩子都吓得呆住了。

欧内斯特走到妹妹身边，双手按在她颤抖的肩

膀上。

士兵押着赫平老师上了卡车。赫平老师在最后一刻转过身来。

"再见，孩子们！"

他强忍着哽咽喊道，声音里的颤抖不比孩子们少半分。

杜兰德早就溜得无影无踪。德国军车轰隆隆地开走了，只剩下孩子们目瞪口呆地站在院子里。

那天晚上，克洛蒂肩负着一项秘密任务。她要把布防图交给巴蒂斯特，只有他知道如何联系抵抗组织。红着眼眶的克洛蒂推开蒂西耶咖啡馆的门，里面唯一的客人就是那位腿脚不便的前邮递员。他正坐在桌边等她，而老板娘蒂西耶夫人则在擦拭柜台上的玻璃杯。

克洛蒂在巴蒂斯特身旁坐下，悄悄把地图从桌下递了过去。巴蒂斯特接过地图，将其藏进了腿上的石膏里。

"你怎么哭了？"巴蒂斯特惊讶地问。

克洛蒂顿时哭得更大声了。

"他们把赫平老师抓走了……"

"什么？！"

巴蒂斯特惊呼一声，脸色大变。他二话不说，抓起拐杖一瘸一拐地冲出咖啡馆，急匆匆地去通知抵抗组织了。

抵抗组织在格朗维尔布下了天罗地网，甚至在德军指挥所都安插了眼线。就在当晚，运送赫平老师去鲁昂的军车驶到一条小路上时，碾到了他们提前在路面上铺开的钉链。砰！四个轮胎几乎同时爆裂，军车歪歪扭扭地撞向路边的一棵大树。埋伏在

路边的皮埃尔和战友们立刻开火，步枪的子弹嗒嗒嗒地向德国士兵射去。

就这样，赫平老师重获自由。但从此之后，他不得不隐姓埋名地生活了。

与此同时，杜兰德若无其事地走进了蒂西耶咖啡馆。

"大家晚上好啊！"

他冲着屋里所有人喊道。

正在吧台喝酒的外公顿时火冒三丈。

"是你！你这个浑蛋！"

外公挽起袖子怒吼道，一拳揍向这个叛徒，直接把他打到了人行道上。

"这是你自己摔的！记住了吗？"

外公恶狠狠地威胁道，转身走回咖啡馆。

杜兰德吓得魂飞魄散，屁滚尿流地逃跑了。

那天夜里，抵抗组织的成员们在树林中秘密集结。皮埃尔来了，欧内斯特和克洛蒂的爸爸来了，除此之外还有几位抵抗组织的成员。

赫平老师也来了——但在这里，大家都叫他"雀鹰"。原来这位格朗维尔小学的老师，正是抵抗组织的领袖。

爸爸把克洛蒂绘制的地图递给"雀鹰"，说道：

"鲁滨逊小队的孩子们把任务完成得很漂亮！"

赫平老师展开地图，点了点头。

"罗伯特，你该为孩子们骄傲，他们都是真正的小战士。"

第二天天还没亮，鲁滨逊小队的成员们就各自踮着脚悄悄出门，在村广场秘密碰头。

这天是11月11日，他们要为秘密庆祝第一次世界大战停战日做准备。所有人的动作又快又轻，布置完就立刻离开了。

村民们醒来时，发现阵亡将士纪念碑前已摆满了祭奠之物。一块由铃兰缝制的三色旗覆盖着碑座，而吉恩从德军指挥所的花盆里采来的鲜花正静静地摆放在旗帜下方。

对鲁滨逊小队的孩子们来说，这次抵抗行动将让他们永远感到自豪。

5

难缠的杜兰德

冬去春来，德国已控制了大半个欧洲。盟军曾试图从意大利发起反攻，但进展缓慢。于是，他们决定在法国海岸开辟第二战场。英美集结海空力量，决心一同把侵略者赶跑。

1944年春天，盟军对德军的据点发动了猛烈进攻，尤其是诺曼底地区。每当夜幕降临，英国飞机就会空投武器，支援法国抵抗组织对抗德军。欧内斯特和克洛蒂帮着父亲和抵抗组织的其他成员，在林间空地向盟军飞行员打信号灯，引导他们空投物资。

所有人都预感到：盟军就要来支援了！

这一天，人们在蒂西耶咖啡馆里热烈地讨论着，猜测盟军会在何时何地发起进攻。有人觉得下个月他们就会在加来登陆，毕竟那里离英国最近。也有人觉得会是更南边的城市，而且时间会更早……

其实没有人知道确切的答案。为了让德军措手不及，任何信息都不能泄露出去！

"蒂西耶，你怎么想？"外公问道。

"我？我什么想法都没有！"杂货店老板一边嘟囔，一边用扫帚在柜台后面打扫。

"我就知道你会这么说。"外公讥讽道。

蒂西耶猛地转过身，气得涨红了脸。

"什么意思？你这是话里有话啊！听好了，帕皮卢，你可别把我惹急了！"

就在这时，杜兰德走进咖啡馆，一屁股坐在了牧师和一名宪兵之间的吧台边。

"大家好！"他没好气地说道。

除了蒂西耶夫人，没人回应他的问候。但是老板娘的回应也带着讽刺：

"亲爱的杜兰德先生，最近过得怎么样呀？您瞧，这天怕是要变啦！"

她显然在暗指战争局势正转向对盟军有利的方向。

"少废话，给我来杯红酒！"

鲁滨逊小队的成员们也愿意相信，战争快要结束了。在村子的广场上，欧内斯特、吉恩和铃兰正讨论着他们的未来。

"我要当记者，或者作家，"欧内斯特透露说，"我要把我们所经历的故事都记下来。铃兰，你呢？"

"我不知道，也许当医生或护士吧。"铃兰低着头，"但是那要花好多钱去读书，我爸爸负担不起。"

吉恩坐在她身边，小声说："让我帮你付学费吧！"

"那怎么行！"铃兰有些不高兴。

这时，杜兰德朝孩子们走了过来。

"他又要找我们的麻烦了！"铃兰抱怨道，"我们分开走，在秘密基地集合！"

话音刚落，孩子们立刻分头跑开了。铃兰选了

一个方向，吉恩跑向另一边，欧内斯特和妹妹则选
了第三条路。

"哼！一见到我就逃得比兔子还快！"杜兰德冷
笑道。

他没法同时追所有人，于是决定跟着吉恩。

铃兰第一个跑回秘密基地。克洛蒂画的希特
勒[1]、贝当和杜兰德的肖像被他们钉在基地的老树干
上。铃兰抓起飞镖，瞄准杜兰德的脸掷了起来。

等欧内斯特和克洛蒂赶到时，那张脸已经被扎
得千疮百孔。就在这时，他们突然听到了皮埃尔的

---

1 法西斯德国元首，第二次世界大战头号战犯。

哨声。欧内斯特用约定好的暗号回应，表示安全。皮埃尔这才扛着枪从土坡后现身，朝他们走来。

"嘿，朋友们！"

接着吉恩也赶到了。

铃兰立刻问道："怎么这么久？迷路了吗？"

吉恩双手撑着膝盖，上气不接下气地说：

"杜兰德跟踪我……我只好绕到海边的树林……这辈子没这么拼命跑过……不过……总算甩掉他了！"

"杜兰德这个臭虫！"欧内斯特嘀咕道。

皮埃尔从包里掏出一沓新传单。传单上纳粹旗帜上的老鹰像被击落的飞机一样呈现出坠毁的样子。此外还有醒目的"胜利"两个大字。

"要继续保持警惕，加倍小心！"皮埃尔命令道，"不能在这个时候被抓。德军正绷紧神经，盟军在准备发动攻击。现在都低调点儿，明白吗？"

"明白，头儿！"孩子们齐声回答。

临走前，皮埃尔从铃兰手里接过一支飞镖，坚

定有力地掷向希特勒的肖像——正中眉心。孩子们
看得目瞪口呆。

6

诺曼底登陆

春天来了，天气渐渐变暖，菜园里的劳作也开始了。欧内斯特和外公勤勤恳恳地翻土，照料新栽的幼苗。番茄长势喜人，生菜也很脆嫩。

外公抬起头深吸一口气。

"感觉到风了吗，孩子？这风里有海的咸味，还有希望和自由的味道！"

祖孙俩相视而笑。像大多数法国人一样，他们渴望重获自由。

那天晚饭后，一家四口聚在客厅里休息。外婆在补衬衫，欧内斯特翻着读了无数遍的《鲁滨逊漂流记》，克洛蒂在画画，外公听着无线电广播。

"你在画什么呀，克洛蒂？"外婆问道。

"送给妈妈的礼物！"

克洛蒂把画举给外婆看。画中的院子里摆着一张大餐桌，桌子旁坐着他们四个人，还有爸爸和妈妈。

"这是等我们打败德国人后，妈妈回家时要举行的庆祝宴！"

"画得真棒，宝贝。"

这时，BBC[1]广播响起了熟悉的旋律，这是无数

---

1 英国广播公司，战时会通过广播向抵抗组织发送加密信息。

法国人每天守候的声音。

"这里是伦敦，法国人对法国人讲话……请先收听几条私人讯息……秋日提琴悠长的呜咽，用单调的忧郁刺伤我的心[1]……"

"真好听！"克洛蒂一边画画一边说。

"是啊……"外婆轻声应道，悄悄抹去一滴眼泪。欧内斯特合上了书。

"帕皮卢，你觉得快了吗？"外婆问。

外公摆了摆手，含糊地说：

"要是我们能知道就好了。"

突然，远处传来爆炸的轰鸣，孩子们和外公立刻冲到窗边。是盟军正在轰炸迪耶普，那里有德军的大型军事基地。

"可怜的迪耶普人，"外公叹息道，"看这个架势，没有人能活下来了。"

这些毁灭与苦难让他心力交瘁。

---

1 保罗·魏尔伦的诗歌选段，用作诺曼底登陆行动的加密信号。

1944年6月6日，星期二。

清晨，巴蒂斯特骑着失而复得的邮递员自行车，背着邮递员包风驰电掣地赶来，一边挥舞手臂一边激动地大喊：

"他们来了！开始了！"

欧内斯特全家都冲出屋子，不知道巴蒂斯特到底在喊什么。巴蒂斯特激动得整个人扑倒在大家面前。

"你这家伙该不会是喝多了吧！"外婆责备道。

"是真的！盟军登陆了！"他爬起来大喊，"美

国人、英国人、坦克、吉普车、大炮……就在诺曼底！在卡尔瓦多斯！海滩上全是军队，整片海岸都是舰队……到处都在爆炸！”

外公简直不敢相信自己的耳朵。

“天哪！”他惊呼道，“巴蒂斯特，这是你送给我们的最好的消息了！”

说罢，外公激动得跳起来搂住邮递员的脖子，亲了他一口。

外婆也激动得热泪盈眶。

克洛蒂仰起小脸问道：“战争终于要结束了吗？”

"谁知道呢？可能真的快了，我的小宝贝！"

"咱们得庆祝一下！"外公宣布，"进来喝一杯吧！最多再过一个星期，我们就自由啦！"

他拉着巴蒂斯特进了屋，兄妹俩则在院子里欢呼起来。

"听见没？一个星期！"欧内斯特对妹妹喊道。克洛蒂已经笑得合不拢嘴了。

那天晚上的晚餐氛围格外欢快，每个人都相信战争即将结束。

的确，巴蒂斯特没有说谎：当天凌晨，五千多艘军舰和近十六万士兵横渡英吉利海峡；英国、加拿大和美国的舰队在卡昂和瓦洛涅之间的海岸登陆，空中支援力量更是势不可当。

这场伟大战役的开始日后来被称为"D日"[1]，战役最终以盟军的大获全胜而告终。

---

1 第二次世界大战中，诺曼底战役（代号"霸王行动"）的登陆日（1944 年 6 月 6 日）。

然而，战争并没有就此结束。相反，真正的解放还需要漫长的等待。几周过去了，虽然盟军步步推进，但德军仍在负隅顽抗。

对鲁滨逊小队的成员们来说，这是一段考验耐心的艰难时期。抵抗组织加大了对德军的攻击力度，几乎每晚都有爆炸声在周围回荡。当然，我们的小英雄们还太小，不能参与这些战斗。

随着夏日一天天过去，终于，越来越多的好消息陆续传来：6月26日，瑟堡获得解放；7月21日，卡昂解放；接着是7月30日，阿夫朗什也重获自由。

德军在各条战线上节节败退。接下来的一个月，布列塔尼地区解放了。最后在8月25日，巴黎也解放了！

自由之风吹到了法兰西各处。很快，这阵风就会抵达格朗维尔。

7

蓄意破坏

夏天在无尽的等待中流逝，人们期盼着法国彻底解放的那一天。

但生活总要继续。

一天，克洛蒂和加斯顿正准备去牛棚挤牛奶，意外撞见了相拥的珍妮和奥托。两人沉浸在悲伤中，没听见孩子们的脚步声。

"听说盟军离这儿不远了……"珍妮啜泣着蜷缩在奥托怀里，"你是德国兵，很快就要离开了，是不是？我不知道自己能不能承受……"

克洛蒂和加斯顿呆立在原地，像两尊石像。

"别这么说，我想留在你身边。"奥托轻声回答。

"可你会被杀死的！如果那样，我也会伤心死的。"

奥托轻吻珍妮的发丝。

"我爱你，珍妮。"

加斯顿猛地拽住克洛蒂的胳膊，把她拉到屋檐下。

他彻底慌了神。

"他们两个相爱了吗？"

"看起来是的。"克洛蒂点头。

"可他们不能这样！奥托就算人再好，也是个德国佬啊！"

"我倒挺喜欢他的。再说这是大人的事……不过千万别告诉别人，不然他们会有大麻烦！"

加斯顿露出难过的表情。

1944年8月30日傍晚，格朗维尔附近突然响起爆炸声。蒂西耶咖啡馆的常客们冲到路边张望。橙红色的天空中，翻腾起滚滚黑烟。夜幕即将降临。

"美国佬该不会要把咱们这儿也炸平吧？"蒂西耶夫人抱怨道。

蒂西耶先生小心翼翼地探出头，立刻被她数落道：

"你怎么还没躲到地窖里去？"

"行了，能有什么事！"他不耐烦地回道。

这时，一队德国士兵匆匆跑过广场，蒂西耶夫人讥讽道：

"跑快点儿啊！再晚可就赶不上吃枪子了！"

新一轮猛烈的爆炸声传来。

"听着越来越近了！"巴蒂斯特不安地喊道，
"我们最好别在室外待着了。"

轰炸持续了一整夜。盟军对格朗维尔地区的德
军据点发动了猛烈炮击，但德军打算顽抗到底。爆
炸的地方离村子不远，房屋一直处在震颤之中。许
多村民整夜都守在窗边。

第二天拂晓，德军指挥所出现了反常的骚动。
冯·克里格上校暴跳如雷——该地区最大的德军
火库昨夜被炸毁了。他认为这是抵抗组织的破坏行
动。他与上级进行了短暂通话，对方也毫不掩饰自
己的愤怒之意。

"执行你的职责！必要时把那该死的村子夷为平

地！懂了吗？"[1]

"遵命，将军！"[2]

冯·克里格冲出办公室，对着在院子里乱成一团的士兵们吼道：

"立刻去村里抓人质来！我要让他们永远断了搞破坏的念头！"[3]

曾因倒卖物资被调往东欧战场的汉斯，几个月前刚被调回格朗维尔。此刻他比任何人都积极，立刻立正敬礼。

"是，上校！需要我们顺手把那些农场也清理掉吗？"[4]

"执行！"[5]

奥托当时也在场，听到这里他立刻跳上边三轮

---

1 原文为德语。

2 原文为德语。

3 原文为德语。

4 原文为德语。

5 原文为德语。

摩托车，朝着莫尔托农场疾驰而去。这一举动没有逃过汉斯的眼睛，他看起来正打算跟村里的某些人算笔旧账。

当士兵们登上卡车准备执行命令时，吉伯特先生向冯·克里格上校提出抗议：

"上校，这些村民是无辜的！您不能这样做！"

上校阴沉着脸，瞪了他一眼。

"不能？把他也给我抓起来！[1]"

一个士兵立刻冲上前，强行拖走了这位格朗维尔的镇长。

"上校！"吉伯特先生徒劳地呼喊着，"您不能这样做！上校！"

汉斯跳上军车，车队扬尘而去。

---

1 原文为德语。

8

报复行动

　　一辆德国卡车停在蒂西耶咖啡馆门前。两个士兵闯了进去，用枪顶着蒂西耶夫人、牧师和另一位顾客的后腰，逼着他们爬上了卡车车厢。德国士兵在杂货店里搜了半天，也没找到蒂西耶先生——他早就躲进地窖里了！

　　巴蒂斯特躲在街角，目睹了这场抓捕。他吓得掉转自行车，拼命蹬着向外公家冲去。

　　"帕皮卢！帕皮卢！"

　　外公和外婆闻声急忙跑了出来。

　　"为了报复抵抗组织昨晚炸了他们的军火库，那些德国人在到处抓人！他们要把村子里和农场里的人都抓起来！你知道被抓后会是什么下场，我们得赶快离开这里！"

兄妹俩也跑了出来。

"发生什么事了？"欧内斯特问。

外公抄起铁锹挡在屋前的路上。

"孩子们！跟外婆去树林里躲着，我留在这里！"

"我们不能丢下你，外公！"克洛蒂急得直跺脚。

"快走！跟外婆去林子里躲着，没收到我的信号都别回来！"

"不，勒内！"外婆坚决反对，"我要和你在一起。"

这时，一辆卡车的车头已经出现在了小路尽头。

"他们来了！"巴蒂斯特声音发抖，但他强压下恐惧，挺直身子补充道，"如果你们留下，那我也留下！"

外婆回头看去，欧内斯特已经拉着妹妹朝树林飞奔而去了。

外婆心如刀绞，但是这种情况下，她也只能让孩子们独自面对危险了。

与此同时，珍妮正在厨房给加斯顿和马赛隆准备早餐，奥托突然惊慌失措地冲了进来。

"珍妮，他们来了！因为昨晚的破坏行动，他们要抓人质枪毙！快逃！"

"什么？我绝不离开！这是我的家！"珍妮愤怒地吼道。

奥托转向两个孩子：

"你们两个，立刻躲起来！马上！"

"可我们什么都没做啊！"加斯顿抗议道。

"听我的！快[1]，快走！"

就在这时，汉斯的军车驶入院子，看门狗十四疯狂吠叫起来。

珍妮猛地推开厨房后窗："听奥托的话！快从这儿钻出去，躲进树林！"

---

1 原文为德语。

"可是……妈妈！"马赛隆急得话都说不清了。

"快走！"

两个男孩翻过窗框逃向树林。珍妮望着他们远去的背影，眼里噙满了泪水。

"那你呢，奥托？"她终于轻声问道。

"我要永远和你在一起，永远！"奥托坚定地说，"反正我们已经输了这场战争。"

突然，院子里传来一声枪响，十四的吠叫声戛然而止。珍妮和奥托脸色煞白。

沉重的军靴声渐渐逼近。

"莫——尔——托——太——太！"汉斯故意拖长声调喊着，"我来啦！"[1]

珍妮紧紧依偎着奥托，奥托掏出手枪，对准了房门。

与此同时，加斯顿和马赛隆正在田野里拼命奔跑。一声震耳的爆炸声传来，加斯顿猛地停住了

---

1 原文为德语。

脚步。

"别停！"

马赛隆拽住弟弟的手臂，硬拉着他继续跑。可怜的加斯顿已经哭得上气不接下气了。

上午时分，德军卡车返回指挥所。车上押着十几名被抓的村民，他们被粗暴地推下了车。

德军士兵强迫外公外婆、巴蒂斯特、蒂西耶夫人和牧师等人排成一排，与背靠着墙、双手抱头的

吉伯特夫妇站在一起。冯·克里格上校站在台阶上，神色冷峻。

一支行刑队在村民面前列队就位。

"他们到底想干什么？！"巴蒂斯特惊慌地喊道。

"他们发了疯，还想把我们也搭上。"外公低声说道。

德国士兵们举起冲锋枪对准人质，等待开火的命令。

吉恩躲在院墙后，浑身僵硬地看着这一幕。

"把所有人关进地下室！"[1] 上校突然咆哮着下令，随后转身消失在指挥所内。

士兵们放下枪，粗暴地押着人质往地下室走去。

双腿发软的吉恩趁机从藏身处冲出，拼命朝秘密基地跑去。

---

1 原文为德语。

9

法兰西万岁！

杜兰德发誓要找到抵抗组织的藏身之处。他带着地图，连续数日在格朗维尔的森林里进行地毯式搜查，仔细标记已搜查过的区域。

一天，他将目光抬高至一棵树的树冠处时，从两根树枝间瞥见了一截梯子，那是通往鲁滨逊小队的观察哨的梯子。他脸上闪过一丝坏笑，蹑手蹑脚地向那栋白天空无一人的破屋走去。小屋地上遗留的痕迹证实了他的猜测。除此之外，他还发现了歌颂法国与盟军即将胜利的传单。

"嘿嘿，杜兰德，你今天可要立大功啦！"他得

意地搓着手说。

　　就在他转身要走时，他突然看到了自己的画像——和贝当、希特勒的画像被并排钉在一起，上面扎满了飞镖！

　　"这帮小浑蛋必须付出代价！"

　　杜兰德咬牙切齿地骂着，飞快地朝村里跑去，迫不及待地向遇到的第一支德军巡逻队告密。

　　"德国的先生们！我发现那群小混混的藏身处

了，就在树林里一栋废弃的小屋里……看，就在这儿！"他激动地在地图上指来指去。

士兵们打算先通知指挥所再行动，杜兰德也跟了过去。

幸运的是，保罗正坐在咖啡馆门口的台阶上为最近发生的事而难过。他恰好听到了这一切。这个叛徒说的正是鲁滨逊小队的秘密基地！他必须想办法通知他们……

此时，鲁滨逊小队的成员们都聚在了秘密基地里。搜捕人质的消息让大家心乱如麻。抵抗组织的核心成员也赶到了，有爸爸、皮埃尔和受了伤的

"雀鹰"，鲜血正从他的太阳穴往下流。

"德国人突然袭击了我们，"爸爸解释道，"我们损失了一个藏身处，还牺牲了几名成员。"

铃兰为"雀鹰"包扎伤口，其他大人则在紧急商讨对策。

"必须召集人手，想办法营救人质！"爸爸提议，然后他看向"雀鹰"，"另一项任务怎么办？"

"你们的当务之急是救人，""雀鹰"回答，"至于那个任务，皮埃尔会和鲁滨逊小队一起完成。"

欧内斯特突然站起来，自告奋勇："爸爸，让我去吧！"

"好！"爸爸同意了，"但小孩子们必须留在这里。加斯顿、克洛蒂，你们俩负责照顾'雀鹰'，他需要你们的帮助。"

爸爸紧紧抱住孩子们："一定要小心！等我们再见时就自由了！盟军马上就要到格朗维尔了！"

说完，他便和抵抗组织的成员们离开了秘密基地。

"好了，鲁滨逊小队，跟我来！我得告诉你们该做些什么。"皮埃尔招呼道。

欧内斯特、吉恩、铃兰和马赛隆立刻围成一圈，专心地听他布置任务。

夜幕降临之际，杜兰德拿着地图，带领一队德国士兵在树林中穿行。

"快到了。"他低声说，脸上一副胜券在握的得意样子。

果然，没过多久，鲁滨逊小队的秘密基地就出现在眼前。

德国士兵们悄无声息地展开行动：一部分人单膝跪地，在远处举枪瞄准；另一部分人则分成两组，悄悄逼近小屋的入口。

"里面的人！举起手出来，快[1]！"一个德国士兵大声喊道。

可是，小屋里静悄悄的，毫无回应。

---

1 原文为德语。

　　"扔颗烟雾弹进去！"[1]他转头命令跟在他后面的士兵。

　　那个士兵拔掉烟雾弹的保险栓，用力扔进屋内。砰！烟雾弹瞬间炸开，释放出滚滚白烟。

　　另有两个德国士兵猛地冲到门槛处，用冲锋枪胡乱扫射起来，子弹朝四面八方飞出去。

　　在三十米外的灌木丛里，克洛蒂用手紧紧捂住

――――――――――――――
1 原文为德语。

嘴，把惊叫憋了回去。她和加斯顿、保罗好不容易才把赫平老师拖到这里。三人蜷缩在树丛中，看着德军的疯狂袭击，吓得浑身僵硬。

"差点儿就没命了。"保罗低声说。

"要不是你，我们早死了！"加斯顿抽泣着回应，眼泪混着泥土从他脸上滚落下来。

"别说话！""雀鹰"从牙缝里挤出这句话，"会把敌人引来的！"

他的脸色越来越苍白，显而易见，他正承受着巨大的痛苦。

"继续搜！"德军头目大声下令。

烟雾散去后，手电的光束扫过秘密基地的每个角落。

"我发誓他们刚才还在这儿！"杜兰德急得直跺脚，"他们肯定就躲在附近！"

于是他们在搜查完秘密基地的内部后，开始向外围展开地毯式搜索。

"雀鹰"感到敌人越来越近，但他现在伤势很重，根本没法逃跑。

"听好了，"他强撑着力气对孩子们说，"你们得从海边的树林穿过去，去海边路和瓦朗日维尔路的交叉口跟皮埃尔他们会合，告诉他们秘密基地暴露了，明白吗？"

"可您怎么办？"克洛蒂急得快哭了。

"别担心我！"他低着头吼道，"快走！"

"不行，我们不能丢下您……"

"这是命令！""雀鹰"坚持道。

克洛蒂终于忍不住抽泣起来，扑进他的怀里。

"雀鹰"紧紧抱了她一下，然后推开她：

"快！现在就走。"

克洛蒂缓缓松开他的衣角，眼神里满是悲伤。保罗和加斯顿已经做好了逃跑的准备。三人再没说一句话，朝着"雀鹰"指的方向飞奔而去。

精疲力竭的"雀鹰"垂下了头。他正忍受着剧痛，最后一丝力气也在慢慢消失。但他依然紧紧握住手枪。

脚步声越来越近。

一束刺眼的手电光扫过他的身体。

"抓到一个！"[1]一个德国士兵高声喊道。

"雀鹰"用尽最后的力气，举起手臂高呼"法兰西万岁！"，然后扣动了扳机。

手枪的射击声瞬间被冲锋枪的扫射声淹没了。

1 原文为德语。

10

伤 口

皮埃尔和欧内斯特把几根炸药固定在电线塔底部，并将引线接到十几米外的壕沟里的引爆器上。

接好最后几根引线后，皮埃尔低头看了眼手表，对欧内斯特以及一直等在壕沟里的铃兰、吉恩和马赛隆说：

"捂住耳朵，要爆炸啦！"

然后他猛地按下引爆手柄。

"啊？你说什么？"马赛隆刚才没听清指令。

皮埃尔来不及重复，轰！爆炸的冲击波把五人全都掀翻在地。

电线塔轰然倒塌，断裂的电线迸发出刺眼的火花。

"任务完成！现在分头行动。你们几个赶紧回秘密基地，别在这儿逗留！"

"什么？我听不见！耳朵里嗡嗡响！"马赛隆慌张地拍着耳朵。

"早叫你们捂耳朵了，笨蛋！"

与此同时，数千架从英国飞来的盟军飞机抵达诺曼底上空。机群刚越过海岸线就开始投放炸弹。德军的防空火力立刻开始还击，一场惊天动地的空战打响了！

趁着空袭造成的混乱，爸爸带领一队抵抗组织成员突袭了德军指挥所。他们驾驶卡车冲进院子，举起冲锋枪向四周扫射。一名抵抗组织成员将手榴弹扔向停放在院子里的德军汽车，汽车瞬间炸成一团火球。

接着他们又朝德军卡车的油罐开枪，卡车顿时像火炬一样熊熊燃烧。

"我们遭到袭击了!"德国士兵惊慌大叫,"是抵抗组织!"[1]

其他德国士兵迅速占据窗口和屋顶的位置,向抵抗组织的成员开火还击。

冯·克里格上校冲向办公室打电话请求增援,却发现电话线路已被切断。

"没有信号!这是他们的诡计!"[2]他怒吼着咒骂连连。

一阵冲锋枪扫射打碎了窗户玻璃,打断了他的

1　原文为德语。
2　原文为德语。

咆哮。

院外，爸爸和同伴们朝着德军反击的方向投掷手榴弹。

趁着第一波攻击的空当，爸爸高声喊道：

"快！我们上！"

六名抵抗组织成员高举武器冲进大楼。

"我们投降！别开枪！" [1] 冯·克里格上校大喊。

在场的所有德国士兵纷纷把武器扔到地上。这

---

1 原文为德语。

次突袭行动大获成功。

不远处，当鲁滨逊小队的几名成员穿过田野逃跑，而皮埃尔朝着反方向奔去时，一队德军巡逻兵因被电线塔的爆炸声惊动，突然出现在路上。

"站住！"一个士兵发现了孩子们，大喊道。

皮埃尔听到这边的动静，转过身朝那个士兵开枪，边掩护孩子们边喊："来追我啊，浑蛋！"

他冲向几米外的树林，这队德国士兵立刻追了上去。但最后一个士兵临走前朝鲁滨逊小队的成员射去了几发子弹。

"啊！我的腿！"突然，吉恩抱着腿倒下了。

"抬着他走！"铃兰命令道，"不能在这里耽搁！"

欧内斯特和马赛隆这才反应过来，一左一右架起吉恩。可这个伤员号得震天响，让铃兰恼火不已。

"你给我闭嘴！想把所有德国佬都引来吗？"

大约十分钟后，眼看暂时安全了，他们停下来稍作休息。

　　"你们俩去放哨，我看看他的腿。"铃兰对两个男孩说，然后弯腰检查靠坐在树桩上的吉恩的伤势。

　　吉恩虚弱地低语道："铃兰……我……要死了……我……好疼啊……"

　　"别说傻话！腿伤可死不了人！"

　　铃兰一把卷起吉恩的裤腿，表情突然僵住了。"你耍我们呢？这根本就是擦破点儿皮！"

　　"可真的很疼啊！而且我差点儿就没命了！"吉恩委屈地嚷嚷。

　　铃兰气得抓住他的肩膀猛晃。

　　"我现在就让你没命！蠢货！吓死我了！"

发现吉恩伤势不重，铃兰如释重负。

"好了，继续赶路！"她直起身说道。

铃兰喊回欧内斯特和马赛隆，四人重新上路了。

他们朝着秘密基地的方向走了大概一千米，途中只能靠铃兰的手电筒照亮。吉恩还在哼哼唧唧地抱怨腿疼，整个人压得马赛隆和欧内斯特的肩膀直发酸。

突然，克洛蒂从灌木丛里跑了出来。

"欧内斯特！"她带着哭腔大喊，如释重负地冲

向哥哥，一头扑进了哥哥怀里。

"没事了，我的小克洛蒂，哥哥在这儿呢……可你怎么会在这儿？"

加斯顿和保罗也从藏身处钻了出来。三人七嘴八舌地解释德军如何发现了秘密基地，"雀鹰"又如何命令他们撤离。

"都怪那个叛徒杜兰德！"加斯顿咬牙切齿，"赫平老师他……恐怕已经……"

这个消息让吉恩、欧内斯特和铃兰一下子红了眼眶，只有马赛隆还懵懵懂懂。

"你们怎么了？为什么都在哭啊？"

11

最后的战斗

1944年8月31日的夜晚漫长而惊险。在德军指挥所，所有德国士兵都投降了。他们被缴了械，双手抱头，在抵抗组织成员们的枪口下排着队走出大楼。被关押的人质终于获救了。他们虽然还没从惊吓中缓过神，但都紧紧抱住了来营救他们的人。

"要是没有你们，我们肯定被枪决了。"外公对爸爸小声说道。

吉伯特太太在焦急地四处寻找吉恩。

"这孩子到底跑哪儿去了？"

"每个角落都找过了吗？"吉伯特先生问。

"他肯定和欧内斯特、克洛蒂在一起，"外婆安慰道，"他们总爱窝在树林里。昨天德国佬来之前，我们就让孩子们去那儿藏好了……"

爸爸主动提出："你们先回家，我去把他们接回来！"

"那我也一起去！"吉伯特太太说。

爸爸又叫上几名抵抗组织成员，一行人朝着秘密基地出发了。

"你们要小心啊！"外公在他们身后喊道。

鲁滨逊小队默默走在乡间小路上。既然秘密基地不能回了，他们决定去克洛蒂和欧内斯特的外公外婆家。大家都又累又难过。克洛蒂牵着加斯顿的手，脚步沉沉的。此时天边已经泛起了第一缕晨光。

突然，铃兰举起手示意大家停下。她听到了奇怪的声音，像是枪支上膛时金属碰撞的咔嗒声。

"嘘！"她压低声音，"有人……"

"哎呀，怎么又停下啦？"马赛隆扯着嗓子嚷道。

就在这时，另一个声音传来："别开枪！是群

孩子！"[1]

　　树丛里钻出几个黑影，是几个打着手电筒的士兵走了过来。孩子们吓得一动也不敢动，以为这次真的完蛋了。

　　"你们在这儿搞什么鬼？"[2]一个士兵问道。

　　"要不是那小子嚷嚷，我们差点儿就把他们当敌人了！"[3]另一个士兵嘀咕道。

　　孩子们这才松了口气。

1　原文为英语。
2　原文为英语。
3　原文为英语。

"是美国人！"欧内斯特欢呼。

"不，"士兵们的领队纠正道，"我们是加拿大人。你们怎么在这儿？"

"我们正要回家。"铃兰回答。

欧内斯特兴奋地指着村子的方向问："你们打败德国人了吗？是要去格朗维尔吗？"

领队皱起眉头。

"这是去格朗维尔的路？"[1]

欧内斯特点点头。

领队转过身和同伴们商量起来。

---

1 原文为英语。

"该死！又走错路了！沃尔特，你连地图都不会看吗？算了，伙计们，继续前进！"[1]

分别前，领队对孩子们说："赶紧回家去！夜里这儿太危险了。"

鲁滨逊小队目送士兵们朝相反的方向离去。

"他们终于来了。"欧内斯特感叹道。

"没错，"吉恩接话，"这下德国佬有苦头吃啦！"

他们重新上路，很快到了外公外婆家门前。大家格外小心，进门前铃兰几人先检查了一下四周，欧内斯特和克洛蒂则轻轻推开大门。屋里一片漆黑。

克洛蒂小心翼翼地把小脑袋先探进门内。

"有人吗？"她细声细气地呼唤，"外公？外婆？"

"克洛蒂！是你吗？"

外婆从黑暗中冲出来，一把抱住了自己的小外孙女。接着，外公和欧内斯特、吉伯特太太和吉恩也纷纷向对方冲去，所有人又哭又笑地抱成一团。

---

1 原文为英语。

大家都平安无事，真是太好了！

等激动的情绪稍稍平复，外公的问题一下把大家拉回到紧张的现实中。

"你们见到爸爸了吗？"

欧内斯特脸色唰地变白了。

"爸爸？没有啊……我们没见到他！"

"可他刚刚去秘密基地找你们了……"

"糟了！"

欧内斯特立刻想到了最坏的情况——爸爸可能落入了德军的埋伏！他一句话也没说，拔腿就往秘密基地跑，他必须赶在爸爸之前到达那里。

远处仍隐约传来零星的枪声。

秘密基地里，德国士兵手指扣着扳机严阵以待。而在几十米外的灌木丛中，爸爸和同伴们正在缓步前进。

他们屏住呼吸，小心谨慎——危险无处不在。

欧内斯特在树林里拼命奔跑，累得气喘吁吁。幸好爸爸听到了动静，在他冲进危险地带前一把抓住了他。

欧内斯特差点儿叫出声来，爸爸赶紧捂住他的嘴。"是我，欧内斯特！你怎么在这儿？"

欧内斯特立刻安静下来，紧紧依偎在爸爸怀里。

"爸爸，我吓坏了！德国佬占了我们的秘密基地！还有……'雀鹰'……他牺牲了！"

"什么？你说什么？！"

一阵机枪的扫射声打断了他们。

"是从大路传来的！"爸爸判断，"决战的时刻到了。"

"咱们先解决基地里的那群浑蛋，给他们个'惊喜'！"一个同伴轻声说。

爸爸看向欧内斯特：

"别待在这儿了，马上要交火了！"

"可我也想参与战斗！"欧内斯特倔强地说。

"别胡闹！快回家去。"

意识到自己的语气太重，爸爸抱了抱他。

"我爱你，我的小勇士。我们待会儿见……到时候我们就自由了！快走吧！"

12

自由之风

加斯顿和马赛隆忧心忡忡地跑回农场。他们一直没收到妈妈的消息，担心极了。

"妈妈！"两人惊喜地叫出声来——珍妮平安无事！原来，奥托用枪赶走了可恶的汉斯，及时救下了她。

不过傍晚的时候，奥托还是被盟军巡逻队抓住了，移交给了抵抗组织。虽然珍妮一直在暗中帮助抵抗组织，但这次她也无能为力。

睡了短短几个小时后，铃兰就骑着自行车冲到了兄妹俩的外公外婆家，兴奋地大喊：

"德国佬滚蛋啦！村里全是英国兵、美国兵……管他是什么兵呢，反正都是咱们的人！快来看啊！"

欧内斯特、克洛蒂和吉恩揉着眼睛，不敢相信这是真的。他们不会是在做梦吧？身后，外公外婆和吉伯特太太也惊讶得张大了嘴巴。

"冲呀！"欧内斯特突然喊道，他要尽情享受解放的快乐。

四个孩子挤上铃兰的自行车，欢天喜地骑远了。

"小心点儿啊，孩子们！"外婆只来得及喊出这么一句。

外公轻轻把手搭在她肩上。"别担心了！战争中吃了那么多苦头，该让他们体验一下胜利的滋味了。

再说他们都长大啦！"他狡黠地眨眨眼，"哎，要不咱们也去瞧瞧？"

德国兵确实从格朗维尔撤走了。村民们虽然满心欢喜，但这欢喜之中也夹杂着怒火——有些坏蛋的账还没有清算！

好在那些和德国兵勾结的坏蛋最后总算受到了惩罚。整个法国都在清算旧账，许多通敌的人都被愤怒的群众揪了出来。

杜兰德第一个付出了代价。抵抗组织成员冲进他家，把他拖到路上。

"站起来！卖国贼！"

"饶命啊！我什么都没干！"他哆嗦着求饶。

"这话留着跟被你害死的人说吧！"人们把他拽到村子旁的墓地，只听砰的一声枪响……

逃跑的德军临走时杀害了许多无辜的村民，满腔怒火的抵抗组织成员红着眼睛喊道："必须血债血偿！"

就这样，奥托和两个德国士兵也被双手反绑，跪在了一片荒地上。他们对面站着持枪的抵抗组织成员，皮埃尔也在其中。珍妮在蒂西耶夫人怀里发抖，哭得满脸是泪。外公外婆、鲁滨逊小队，以及整个村子的人都来了。

皮埃尔走到奥托面前，用枪口顶住他的额头。两人对视了漫长的几秒钟，一个吓得脸色惨白，一个握枪的手在颤抖。皮埃尔的额头上滚下豆大的汗珠，复仇的怒火在胸口燃烧——可眼前这个人，真的该杀吗？

突然，加斯顿扑到奥托身上，像是要保护他。

"别杀奥托！"加斯顿带着哭腔喊道，"你要是开枪，我一辈子都不会原谅你！"

一名抵抗组织成员拦腰抱起加斯顿，把他带离了现场。

接着，克洛蒂也冲上来保护奥托，眼泪吧嗒吧嗒往下掉。"皮埃尔，你不会伤害他的，对不对？奥托是好人啊！这不公平！"

皮埃尔的手枪悬在半空，他彻底迷茫了。

就在这时，罗伯特拨开人群大步走来。

"皮埃尔，我说过不许伤害俘虏！"

他一把推开皮埃尔，后者的枪掉在了地上。

这时，一直沉默旁观的加拿大士兵走了过来。"够了，伙计们！俘虏交给我们处理！"[1]

"把他们扶起来！"爸爸下令。

奥托长舒一口气，而珍妮的哭声则更响了，不

---

1 原文为英语。

过这次是喜极而泣。

  村子里渐渐恢复了欢乐。孩子们跳起舞来，有人挥舞着三色旗，也有人把纳粹旗扔进火堆。这时，巴蒂斯特骑着自行车冲来报信："盟军打进迪耶普了！整个地区都解放了！"

  "结束啦！德国佬滚蛋喽！"

  《马赛曲》的乐声响起来，人们大喊着"法兰西万岁！"，欢呼声此起彼伏，帽子被抛向天空，大家终于能憧憬美好的未来了。

  持续四十九个月的沦陷，漫长得像一辈子。现在，自由之风终于重新吹到了这片土地上。

13

大战结束

　　第二天，镇公所的院子里办起了庆功宴。长桌上铺满鲜花，法国国旗和盟军旗帜在风中飘扬，五颜六色的灯笼更添喜庆。全村老少都来了，大家欢聚一堂，共同庆祝战争结束。

　　多亏了吉伯特先生和爸爸的奔走协调，奥托最终没有被送进战俘营，而是留在了格朗维尔的农场干活。战争夺走了太多法国人的生命，现在到处都缺人手。就这样，莫尔托家的生活慢慢恢复了正常，珍妮身边现在围着四个男人：奥托、皮埃尔、马赛隆和加斯顿。

欧内斯特和克洛蒂也终于等到了期盼已久的重要日子！

那天清早，爸爸开着汽车去了鲁昂火车站。几个小时后，当汽车鸣着喇叭出现在小路尽头时，兄妹俩立刻冲了过去。车子在家门口停下，副驾驶的门开了，欧内斯特和克洛蒂屏住呼吸，他们的妈妈露西出现在眼前！她比他们记忆中的样子还要美丽。

距离 1939 年 9 月那个离别的秋天已经过去了整整五年。妈妈在瑞士的疗养院战胜肺结核后，选择留在那里照顾其他患者。她没有拿起武器，却用另一种方式参与了战争——用自己曾受惠过的医术救治他人。

这些年她虽然和孩子们通过许多书信，但那远远比不上此刻真正的团聚。现在，她就站在孩子们面前。三人相拥而泣，久久说不出话来。爸爸和外公外婆也围了上来，同样热泪盈眶。这个重逢的场景，他们曾在梦中描画过无数次，如今终于能真切地感受到彼此的温暖了。

虽然法国战场上的战斗已经结束，但太平洋战场仍在激战。直到一年后，1945 年 9 月，随着日本签署投降书，盟军才取得了第二次世界大战的全面胜利。

对欧内斯特和克洛蒂来说，这个"悠悠长假"就要结束了。很快，他们就要回巴黎准备迎接新学期。在那里，他们将得知萝西平安无事，但费尔南德和其他许多人一样，再也没能从奥斯威辛集中营回来。

　　现在，鲁滨逊小队的孩子们终于可以自由玩耍了，再不用躲躲藏藏，更不用害怕遇见德国兵了。

　　一天，他们躺在悬崖边的草地上，望着天上的云朵慢慢飘过。

　　"嘿，朋友们！下个假期该你们来巴黎啦！"欧内斯特喊道。

"去巴黎？"铃兰一下子坐起来，"才不要！乡下可比城里舒服多啦！"

"这话太对了！"加斯顿乐呵呵地附和。

"我呀，以后每个假期都要在这儿过，哪儿都不去！"克洛蒂抢着说。

"说得好，克洛蒂！"吉恩点评道。

这时大家都转头看马赛隆，想听听他的想法。

可他一脸蒙。

"啊？你们说什么？"

六个孩子顿时笑作一团……

真实事件

探寻"悠悠长假"背后的历史

抵抗组织

在法国被德军占领后，法国人民没有屈服于德军的铁蹄，而是以各种形式开始了反抗侵略者的艰难斗争。他们开展了一系列抵抗运动，有些队伍逐步发展为有组织的游击队。他们藏匿于深山老林中，破坏敌军的军事设施、实施突袭、营救战俘，有效地牵制了德军兵力。故事中的抵抗组织就是其中的一支。

无线电密码

第二次世界大战时，BBC广播会向抵抗组织发送加密信息。广播使用暗号防止德军破译，如"猫有九条命"其实是"空降九名特工"的意思。

信鸽传书

　　第二次世界大战时，法国军民训练了数万信鸽用以传递情报。人们将字条装入信筒，绑在鸽子腿上。信鸽总能准确飞回鸽舍，而此时，收信人已经在那里等着了，这样能够避开敌军，确保行动隐秘。

平凡的抵抗者

　　法国被占领期间，很多民众都在以隐蔽的方式支持抵抗运动。他们散发地下报刊、张贴传单、伪造证件、藏匿武器、传递情报等，甚至系红丝带骑车到村口喷泉的行为都可能是传递密信！这些行为一旦暴露，将面临监禁、酷刑甚至死刑，但抵抗者们义无反顾。

诺曼底登陆

    第二次世界大战后期，美、英军队在法国西北部诺曼底地区进攻德军的登陆战役。这场战役从1944年6月6日登陆开始，到7月24日推进至卡昂、科蒙、圣洛一线建立战略登陆场结束。

平民大屠杀

　　诺曼底登陆后不久，德军为报复抵抗组织的破坏行动，对平民实施屠杀。1944年6月10日，德军包围了法国中部的奥拉杜尔村，642名平民被杀害，其中包括被锁在教堂中的妇孺。故事中身在格朗维尔的帕皮卢等人虽幸免于难，但平民被屠杀的惨剧真实存在。

雅尔塔会议及《波茨坦公告》

　　1945年，世界反法西斯战争形势发生根本转变。为协调盟军行动，取得战争的最后胜利，美、英、苏三国首脑罗斯福、丘吉尔、斯大林在雅尔塔召开会议。会议决定彻底消灭德国法西斯主义，战后德国由美、英、苏等国实行分区占领；决定战后成立联合国。苏联承诺在欧洲战事结束后3个月内，参加对日作战。

　　7月，美、英、苏三国的首脑在波茨坦召开会议。会议重申了雅尔塔会议的精神，并以中、美、英三国的名义发表了敦促日本投降的《波茨坦公告》，公告重申《开罗宣言》的条件必须实施。

纽伦堡审判

　　1945年5月8日，德国宣布投降，正式签署无条件投降书，欧洲战事终结。1945年11月20日—1946年10月1日在德国纽伦堡举行对法西斯德国首要战犯的审判。

　　根据1945年8月8日苏、美、英、法四国在伦敦签订的协定，由上述四国组成法庭进行审判。法庭判处戈林等12人死刑、7人徒刑，宣布纳粹党领导机构、秘密警察（即盖世太保）、党卫军等为犯罪组织。

戴高乐与贝当

戴高乐，1959至1969年任法国总统，参加过第一次世界大战。第二次世界大战初期，先后任法国第四装甲师师长、国防部副部长。1940年6月法国沦亡后，戴高乐等在英国建立抵抗运动武装，8月取名"自由法国"，由在英法军、法侨组成。

法国解放后，包括贝当在内的一众法奸受到审判。贝当虽以叛国罪被判死刑，但获戴高乐特赦，终老狱中。

美国对日投掷原子弹

原子弹是指利用核裂变链式反应放出的巨大能量造成杀伤破坏作用的核武器。1939年，美国总统罗斯福采纳爱因斯坦等科学家的建议，决定研制原子弹。

1945年8月6日和8月9日，美国先后在日本的广岛和长崎投放了原子弹。8月15日，日本法西斯宣布无条件投降。9月2日，日本正式签署投降书。第二次世界大战结束。

第二次世界大战的历史意义

第二次世界大战是人类历史上规模空前的战争，先后有60多个国家和地区、20亿以上的人口卷入战争。第二次世界大战的胜利，彻底粉碎了法西斯主义和军国主义通过战争称霸世界的野心，彻底结束了列强通过争夺殖民地瓜分世界的历史，促进了世界殖民体系的瓦解，对维护世界和平、促进共同发展产生了重大而深远的影响。

1945年10月24日，联合国正式成立。这是第二次世界大战后建立的国际组织。51个国家为联合国创始会员国。中国是创始会员国之一。根据《联合国宪章》规定，联合国的宗旨是：维持国际和平及安全，发展国际间友好关系，促成国际合作，构成一个协调各国行动之中心，等等。

反法西斯战争胜利纪念日

　　1945年9月2日，包括中国在内的9个受降国代表在东京湾"密苏里号"军舰上接受日本向盟军投降。之后每年的9月3日，中国各地以各种形式纪念这一胜利。2014年，中国将9月3日设立为中国人民抗日战争胜利纪念日。

　　其他国家的胜利纪念日各有不同。1945年5月7日，德国在盟军司令部向美、英、法等盟国军队投降；5月8日，德国对苏联正式签订投降书，宣布在第二次世界大战中无条件投降。因此，美、英、法等国规定5月8日，苏联(俄罗斯)规定5月9日为第二次世界大战胜利日。

Title #4: Le vent de la liberté – Les grandes grandes vacances © Bayard Editions, 2024
Texts: Michel Leydier
Illustrations: Emile Bravo
Simplified Chinese edition is arranged via Dakai-L'Agence.

著作权合同登记号 图字:01-2025-3258

图书在版编目(CIP)数据

悠悠长假 . 4, 自由之风 / (法)米歇尔·莱迪耶
(Michel Leydier) 著;(法)埃米尔·布拉沃
(Emile Bravo) 绘;水冰译 . -- 北京:北京科学技术
出版社, 2025. -- ISBN 978-7-5714-4768-7

Ⅰ . I565.84

中国国家版本馆 CIP 数据核字第 2025J9L499 号

策划编辑:周孟瑶	电　　话:0086-10-66135495(总编室)
责任编辑:李珊珊	0086-10-66113227(发行部)
责任校对:贾　荣	网　　址:www.bkydw.cn
封面设计:孟　娜	印　　刷:北京顶佳世纪印刷有限公司
图文制作:木　木	开　　本:787 mm×1092 mm　1/32
责任印制:李　茗	字　　数:56 千字
出 版 人:曾庆宇	印　　张:3.75
出版发行:北京科学技术出版社	版　　次:2025 年 9 月第 1 版
社　　址:北京西直门南大街 16 号	印　　次:2025 年 9 月第 1 次印刷
邮政编码:100035	
ISBN 978-7-5714-4768-7	

定　　价:30.00 元